연산이 쉬워지는 마법의 학습 놀이 ❹

CRISS-CROSS
곱셈과 나눗셈

가로세로 퍼즐로 즐기는
연산 트레이닝 83

블루무스 어린이

Criss-Cross: Times Tables

Copyright © Arcturus Holdings Limited

www.arcturuspublishing.com

All rights reserved.

Korean translation copyright © 2021 Bluemoose Books

Korean translation rights are arranged with Arcturus Publishing Limited through AMO Agency.

이 책의 한국어판 저작권은 AMO에이전시를 통해 저작권자와 독점 계약한 블루무스에 있습니다.

저작권법에 의해 한국 내에서 보호를 받는 저작물이므로 무단 전재와 무단 복제를 금합니다.

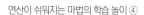

연산이 쉬워지는 마법의 학습 놀이 ④

CRISS-CROSS: 곱셈과 나눗셈

초판 1쇄 인쇄일 2021년 6월 30일 초판 1쇄 발행일 2021년 7월 7일

지은이 애나벨 사베리 그림 가브리엘 타푸니 감수 최경희(달콤수학 꿀쌤)

펴낸이 金炅兒 편집 문영은 디자인 박민수 홍보 김예진

펴낸곳 블루무스어린이 출판등록 제2018-00343호

전화 070-4062-1908 팩스 02-6280-1908

주소 서울시 마포구 월드컵북로 400 5층 21호

이메일 bluemoosebooks@naver.com 인스타그램 @bluemoose_books

ISBN 979-11-91426-17-5 64410

   979-11-91426-13-7 (set)

아이들의 푸른 꿈을 응원하는 블루무스어린이는 출판사 블루무스의 어린이 단행본 브랜드입니다.

CRISS-CROSS 곱셈과 나눗셈, 이렇게 해 보세요!

가로세로 퍼즐의 세계에 오신 여러분을 환영합니다.
알쏭달쏭 재미있는 퍼즐을 마음껏 즐겨 보세요!

연필만 있으면 준비 완료!
각 페이지에는 다음과 같은 수식으로
구성된 가로세로 퍼즐이 있어요.
수식의 빈칸에 알맞은 답을
써 보세요.

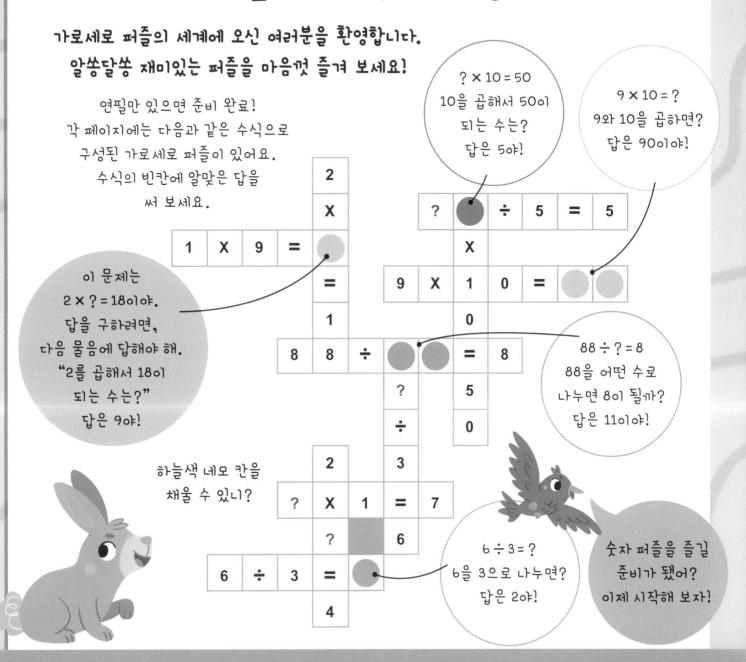

? × 10 = 50
10을 곱해서 50이
되는 수는?
답은 5야!

9 × 10 = ?
9와 10을 곱하면?
답은 90이야!

이 문제는
2 × ? = 18이야.
답을 구하려면,
다음 물음에 답해야 해.
"2를 곱해서 18이
되는 수는?"
답은 9야!

88 ÷ ? = 8
88을 어떤 수로
나누면 8이 될까?
답은 11이야!

하늘색 네모 칸을
채울 수 있니?

6 ÷ 3 = ?
6을 3으로 나누면?
답은 2야!

숫자 퍼즐을 즐길
준비가 됐어?
이제 시작해 보자!

일러두기

- 퍼즐 속 모든 문제는 1단부터 12단까지의 곱셈표에 있는 수식들이에요. 문제는 점차 어려워지므로 첫 페이지부터 차례로 풀어 보는 게 좋아요.
- 다른 식을 잘 풀어야 해결할 수 있는 문제도 있어요.
- 두 자리 수는 1칸에 숫자 하나씩 2칸으로 나뉘어 적혀 있어요.
- 실수하거나 틀리면 지우고 다시 답을 써야 하기 때문에, 연필로 문제를 푸는 것이 좋아요.
- 87~96쪽에는 정답이 있어요. 퍼즐을 다 풀고 나서 답을 확인해 보세요.

귀여운 반려동물

그거 알아? 어린 기니피그는 태어난 지 3시간이 지나면 바로 뛰어다닐 수 있대.

농장의 하루

```
            3  X  2  =  [ ]              1
               2                         X
[ ] X  2  =  1  8           4  X  2  =  [ ]
   4              X                      =
                  2        5  X     =  [ ]
                  =     7
                        X        1     X
               X  2  =  1  2     2
                  =              X     =
                        X  2  =  2  2
                           =     0
```

커다란 새들

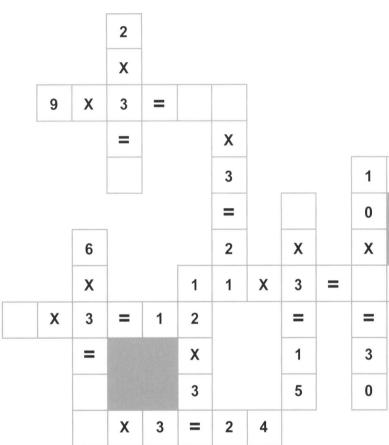

		2										
		X										
9	X	3	=							3		
		=			X					X		
					3			1	X	3	=	
					=			0		=		
	6				2		X	X				
	X			1	1	X	3	=				
	X	3	=	1	2		=		=			
	=				X		1		3			
					3		5		0			
		X	3	=	2	4						

그거 알아? 플라밍고는 항상 머리를 거꾸로 해서 먹이를 먹어.

아프리카의 친구들

8										
X										
4										
=										
	X	4	=	1	2					
				1						
		1		X						
		2								
		X	4	=	4	0				
		4		4						
5		=		4	X		=	1	6	
X							X			
7	X	4	=				4			
=		X			1	X		=	4	
		4								
		=			9	X		=	3	6
		8								

고대의 새들

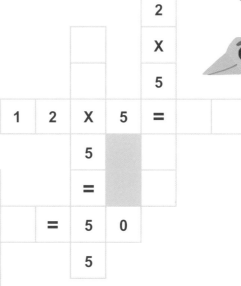

											2		
											X		
6					3						5		
X		X			X			1	2	X	5	=	
5	X	5	=							5			
=		=			=		4			=			
		3			1	0	X		=	5	0		
		5			5		5			5			
							=						
			9										
		8	X	5	=								
			5										
1	X	5	=										

그거 알아? 익룡(프테로사우루스)은 공룡과 같은 시기에 살았던 날으는 파충류였대.

남반구의 동물들

9
$\times$

$\times \ 6 \ = \ 6$

8
$\times$
6
$=$

$5 \quad =$
$\times$

$4 \ \times \ 6 \ =$

$7 \ \times \ 6 \ =$

$= \quad \times$
6

$\times \ 6 \ = \ 1 \ 8$
$=$

$= \quad 1$
3

$1 \ 0 \ \times \quad = \ 6 \ 0$

$2 \quad 6$

$=$

$1 \ 2 \ \times \quad = \ 7 \ 2$

알록달록 산호초

7
X
7
=

8
X
7

_ X 7 = 6 3

4 X 7 = _ _

7

1 0 X _ = 7 0

_ X 7 = 4 2

7

X   3 X 7 = _

5   7   X

2 X 7 = _ _   7

7   =

=   7

그거 알아? 해마는 물고기야. 앞으로 헤엄치기 위해 등지느러미를 펄럭인대.

도망가는 도마뱀

바다 친구들

7 X 9 = ☐ ☐

X

9 X 9 = ☐ ☐

1   =

0   5

☐ X 9 = 4 5

X   9

9   =

=

X   1 2 X 9 = ☐

9   X   9   X

=   9   9

3 X 9 = ☐   =

6   7

2

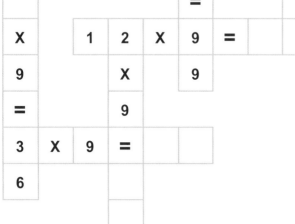

그거 알아? 해파리는 움직이려면 입에서 물을 뿜어내야 한다고 해.

섬에 사는 동물들

영리한 고양이

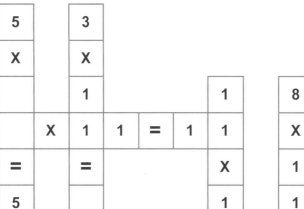

5		3				
X		X				
		1		1	8	
	X	1	1	=	1	1	X
=		=			X	1
5					1	1
5			4	X	1	1	=	

				=		
			6			
	7		X			
1	0	X		=	1	1	0	1
	1			2		1
	1		2	X	1	1	=		
9	X	1	1	=		1	
					1
					=

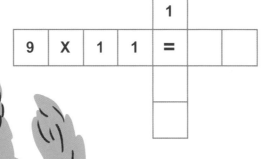

그거 알아? 사람들은 9천여 년 전부터 고양이를 반려동물로 키우기 시작했어.

아름다운 나비들

$8 \times 12 =$

$\times$
1
2

$7 \times 12 =$
7

$3 \times 12 =$
$\times$

$4 \times 12 =$
2
$=$

$5 \times 12 =$
$\times$

$1 \times 12 =$
9 ... 2

$11 \times 12 =$
1 ... 1

$12 \times 12 =$
$=$ ... 0

도서관에서

		3										8		
	5	X	5	=				2	X	2	=			
							6		8					
		=				7	X	7	=					
9	X	9	=		X		6							
					1	=								
		4	X	4	=									
		1		1										
		1												
1	0	X	1	0	=									
		1												
1	2	X	1	2	=									
		1												

그거 알아? 1억 부가 넘는 책과 지도 등을 소장하고 있는 도서관도 있어.

달콤한 디저트

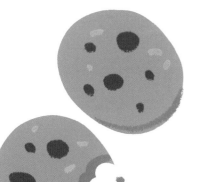

9	÷	1	=				
		0					
7		÷		1			
1	÷	1	=	1	2		8
1			=		÷		÷
=			÷	1	=	1	1
					=		=
	6						
	2	÷	1	=			
	4		1				
5	÷		=	5			
	1						
3	÷	1	=				

한여름의 피크닉

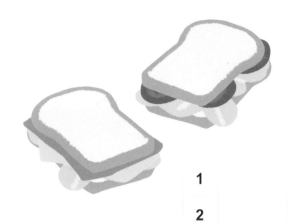

$$2 \div 2 =$$

$$\div\ 2\ =\ 7$$
$$2$$
$$1 \qquad\qquad \div\ 2\ =\ 3$$
$$2 \qquad 1 \qquad 2$$
$$\div\ 2\ =\ 8 \qquad 2 \qquad =$$
$$2 \qquad \div\ 0$$
$$4 \div 2 = \qquad 2 \quad 4 \div 2 =$$
$$= \qquad 2$$
$$= \qquad 8$$
$$\div\ 2\ =\ 5$$
$$2$$
$$=$$

그거 알아? 가장 큰 규모로 기록된 소풍에는 무려 22,232명의 사람이 함께했어.

설레는 외출 준비

						6		
						÷		
			1	2	÷	3	=	
			8			=		
			÷					
		÷	3	=	7			
			=					
	÷							
3	3							
3	3	6	÷	3	=			
1	÷			9				
5	3			÷				
3 0 ÷ 3 =		÷	3	=	3			
3			=	÷				
=			8	3				
				=				

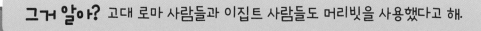

누구의 신발일까?

그거 알아? 운동화는 1872년 미국에서 발명됐어.

씽씽 달리자!

학교 갈 시간이야

```
              3   0   ÷   6   =
              6       6                   ÷   6   =   8
      1   8   ÷   6   =           ÷
      2               4       6   0   ÷   6   =
      ÷           =           =           6
      6   ÷   6   =           9           ÷
      =                                   6
                          7   2   ÷   6   =
                                              ÷
                                              6
                                              =
                                              7
```

그거 알아? 세계에서 가장 오래된 학교는 1,500년 전부터 운영되기 시작했어.

어떤 일을 하나요?

불을 꺼요

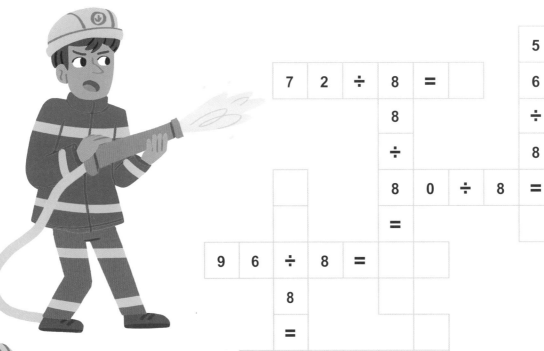

$$72 \div 8 = \boxed{}$$

$$80 \div 8 = \boxed{}$$

$$96 \div 8 = \boxed{}$$

$$48 \div 8 = \boxed{}$$

$$24 \div 8 = \boxed{}$$

$$32 \div 8 = \boxed{}$$

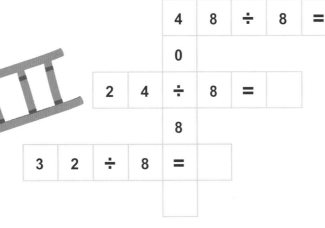

그거 알아? 어떤 소방차는 1분에 욕조 275개를 채울 만큼의 물을 뿜어낼 수 있대.

농작물을 가꿔요

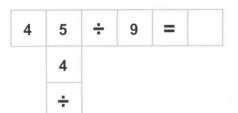

| 4 | 5 | ÷ | 9 | = | |

4
÷

| | | ÷ | 9 | = | 4 |

= [ ] 9

| | | | ÷ | 9 | = | 7 |

÷

| 8 | 1 | ÷ | 9 | = | |

=

| 9 | ÷ | | = | 1 |

0
÷   7

| | | | ÷ | 9 | = | 1 | 2 |

= [ ] ÷

| | ÷ | 9 | = | 2 |

= 7
÷
9
=

즐거운 축제

	1										
	0								7		
2	0	÷	1	0	=				0		8
	1								÷		0
	0				÷				1		÷
	=			1	1	0	÷	1	0	=	
					0		1			=	
3		5		=		0					=
0		9	0	÷	1	0	=				8
÷		÷			2	1					
1		1			6	0	÷	1	0	=	
4	0	÷	1	0	=						
	=		=								

그거 알아? 가장 커다란 대관람차에는 한 번에 1천 명의 사람들이 탈 수 있어.

공원에 가요

Puzzle grid:

		3
		3
5		÷
5		1

6
6

$7\ 7 \div 1\ 1 = \square$

| | 1 | | 3 |

$\square\ \square \div 1\ 1 = 2$

$4\ 4 \div 1\ 1 = \square$

=
÷
1
1
=

1
1

$9\ 9 \div \square = 9$

$\square \div 1\ 1 = 1\ 1$

$8\ 8 \div 1\ 1 = \square$

÷
1
1
=
1

÷
1
1
=
1
0

그거 알아? 동시에 가장 많은 연을 날린 기록은 12,350개라고 해.

유용한 도구들

그거 알아? 침팬지와 코끼리, 그리고 까마귀는 도구를 사용할 수 있을 만큼 똑똑하대.

신나는 놀이 시간

관광 명소

8 ÷ ☐ = 8

÷

8

=

☐ ÷ ☐ = 7   9

X   X

1   5   4

4 X 1 0 = ☐   X   =

X   =   ÷

☐ ÷ 3 = 1   2 X 8 =

0   =   4

1 2 ÷ ☐ = 4   7   5

그거 알아? 베이징의 자금성은 세계에서 가장 많은 사람들이 방문한 관광지야.

마술을 부려 봐!

					1					1		
					X					X		
					1							
					1			2	X	=	1	0
9	9	÷			=	9	5		5	2		
÷										=		
		5	5	÷			=		5			
=		X							0			
3		5			4							
		=			X							
				÷	1	=						
					=							
					÷	8	=		8			

음악과 춤

				4	2	÷		=	7
					0				
	5				÷				
1	X		=	8	÷				
					2			=	
		9	X	6	=				
=		X		8					
5									
5	X		=	5	0				
	=								
	9						÷		
	9	X	8	=					
							=		
		÷	7	=	2				

그거 알아? 발레 무용수들은 단독 무대를 선보이기 위해 5천 시간 이상을 연습한대.

흥미진진 서커스

4 ÷ 2 = ☐

÷

2

=

4 X 4 = ☐

X

1

2 0 ÷ 2 = ☐

X   1

9   8   2 X ☐ = 1 2

7 X 9 = ☐

1

5 ÷ 5 = ☐

=   7

7   ☐ ÷ 4 = 2

2

*레오타드: 다리 부분이 없고 몸에 꼭 끼는, 아래위가 붙은 옷

우당탕탕 공사 현장

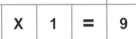

											X	
											3	
								7	÷	7	=	
									÷		3	
									=			
				5								
				X								
	X	1	=	9								
				=		÷	2	=	7			
						1						
					÷	1	0	=	5			
						=						
					8	X			=	4	8	
									X			
									=			
								÷	4	=	6	

그거 알아? 세계에서 가장 큰 덤프트럭은 한 번에 45만 포대의 설탕을 실을 수 있어.

우주 레이싱

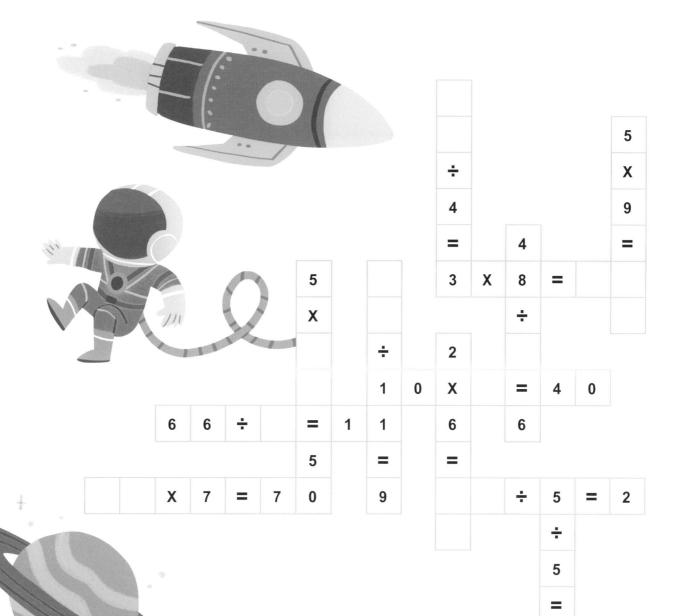

교통 체증

	3						
	X			1			
				X			
	=			5			
	3	2	÷		=	4	

X	2	=	1	6					
				6			8		
7				÷			÷	6	=	7
4	2	÷		=	6	X		3	
÷				=		5			
9		5	X		=	5	0		
=		X			2				
					0				
		=							
		1							
		0							

그거 알아? 모터가 달린 버스는 1895년에 개발됐어. 그 전에는 말이 버스를 끌었대.

즐거운 선상 여행

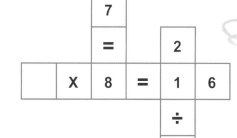

		X							÷	
		3							7	
		=				÷	3	=	4	
1	X		=	6					4	
		X		1		÷				
	1	1	X	5	=			4		
		1						=		
		=		2	0	÷		=	4	
					7					
					=		2			
			X	8	=	1	6			
							÷			
			8	X	8	=				
							3			

그거 알아? '스피릿 오브 오스트레일리아(Spirit of Australia)'라는 나무배가 가장 빠른 배로 세계 기록을 보유하고 있어.

근사한 바닷속

| 4 | 8 | ÷ | | = | 8 |

5

÷

| | | ÷ | 1 | 0 | = | 8 |

1 | 5

X

1 | 3

| 7 | 0 | ÷ | | | = | 7 | | X |

X | 1

5 | 7 | | ÷ | 7 | = | 9 |

| 1 | 1 | X | 9 | = | | 7 |

X | 8 | | ÷

| = | 3

= | | =

2

그거 알아? 바닷가재는 다리 하나가 부러져도, 다시 자라난대.

히어로는 누구일까?

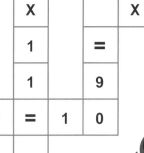

		X							
		1							
		=				1			
5	X	3	=			4			
						÷	2	=	1
		9		X					
		X		X	8	=	7	2	
		1	=			2			
		1	9						
6		÷	7	=	1	0			
X		5							
8		=							
=	÷	2	=	2					

그거 알아? 10센트(약 100원)에 샀던 만화가 경매에서 320만 달러(약 35억 원)에 팔렸어.

정글 속 물가

$$12 \times 5 = \square\square$$

$$\square \div 5 = 8$$

$$110 \div \square = 11$$

$$\square \times 5 = 20$$

$$90 \div \square = 9$$

$$11 \times 5 = \square$$

$$25 \div \square = 5$$

그거 알아? 하마는 하루 중 약 16시간을 물에서 보낸대.

마구간의 말 가족

	5						
8	X			=	8	0	
	1						
	0		6	X		=	1	2
		÷	5	=	1	0		X
				÷				2
			÷	1	0	=	1	=
				0				
	2	0	÷		=	2		
X		5						
2	0	÷		=	4			
=		3						
8								

동화 속 해피엔딩

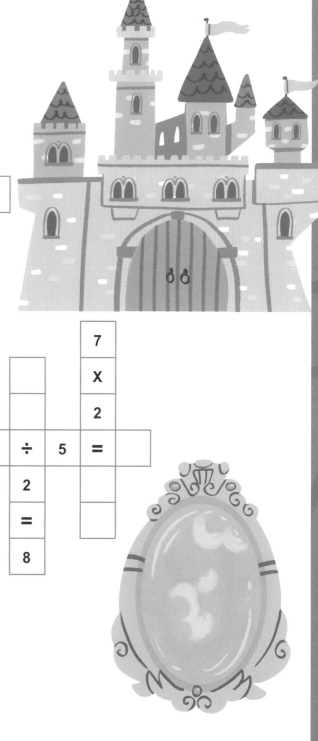

	1				9							
	0				X							
	÷				1							
				6	0	÷	5	=				
	=				=		5					
4	5	÷	5	=		÷		3				
						5		X				
						=						
	1	0	X	1	0	=						7
	2			1			=					X
	X			X			3	5	÷	5	=	2
	2			2			0					
	=			=								=
	2			2								8
	4			2								

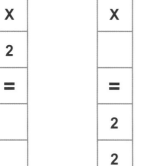

그거 알아? 디즈니 로고에 나오는 성은 독일의 '노이슈반슈타인 성(Schloss Neuschwanstein)'에서 영감을 받아 만들어졌어.

인도 여행

3	X		=	1	5								
			0							4			
			÷	2	=	1	0			X			
			5			X				1			
6	÷	2	=						X	0			
							÷	1	0	=	7		
							=	0					
							2	X	1	0	=		
							0	6					
							3	0	÷	5	=		
											÷		
										÷	2	=	4
											1		

나는야 화가!

9	X		=	3	6
÷				3
	÷			3
=	4			÷	3	=	6
3	=		3

5		1	1	X		=	3	3
	X	4	=	3	2
	4

| 4 | X | 3 | = |
| X |
4		÷
=		4
	÷	3	=	1
	7

그거 알아? 유명 화가 빈센트 반 고흐는 살아 있을 때는 자신의 그림을 거의 팔지 못했대.

운동을 해 볼까?

$$6 \times 4 = \boxed{}\boxed{}$$

$$1\,2 \div \boxed{} = 4$$

$$\boxed{} \times 3 = 6$$

$$1\,2 \times 4 = \boxed{}$$

$$\boxed{} \div 4 = 6$$

$$\boxed{} \div 3 = 5$$

신나는 겨울 스포츠

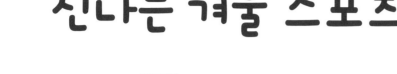

$$4 \div \boxed{} = \boxed{}$$

$$\div\ 3$$

$$= \qquad 1$$

$$7 \times \boxed{} = 2\ 1$$

$$\boxed{} \times 3 = 2\ 4 \qquad 3$$

$$9 \times 3 = \boxed{}$$

$$0 \qquad \div\ 4$$

$$\div \qquad =$$

$$= \qquad 3$$

$$\div\ 4 = 1\ 1$$

$$0$$

$$7 \qquad =$$

$$\boxed{} \times 3 = 1\ 5$$

$$4 \qquad 2$$

$$=$$

그거 알아? 봅슬레이의 이름은 선수들이 속도를 올리기 위해 위아래로 점프하는 동작(bob up and down)에서 유래했어.

부활절 행사

				6					
				÷					
				3		3			
			÷	=		6			
	÷	4	=	4		÷	4	=	5
				=		4			
6			1 2	X		=	3 6		
	X	3	=	3 0					
3									
=									
		X	3	=					
	X	4	=		X				
				=					
	÷	3	=	9					

중국의 새해

X									
7		2			1	4	÷		=	2
=		X		5		X				
5				6	X	6	=			
3	6	÷		=	6	÷		=		
			1							
		1	2	X	7	=				
		0			8					
		X								
		7	2	÷		=	1	2		
÷		=								
7	0	÷		=						
=										
4										

그거 알아? 전 세계 인구의 약 $\frac{1}{6}$이 중국의 새해를 기념한대.

재미있는 밴드

악기 연주

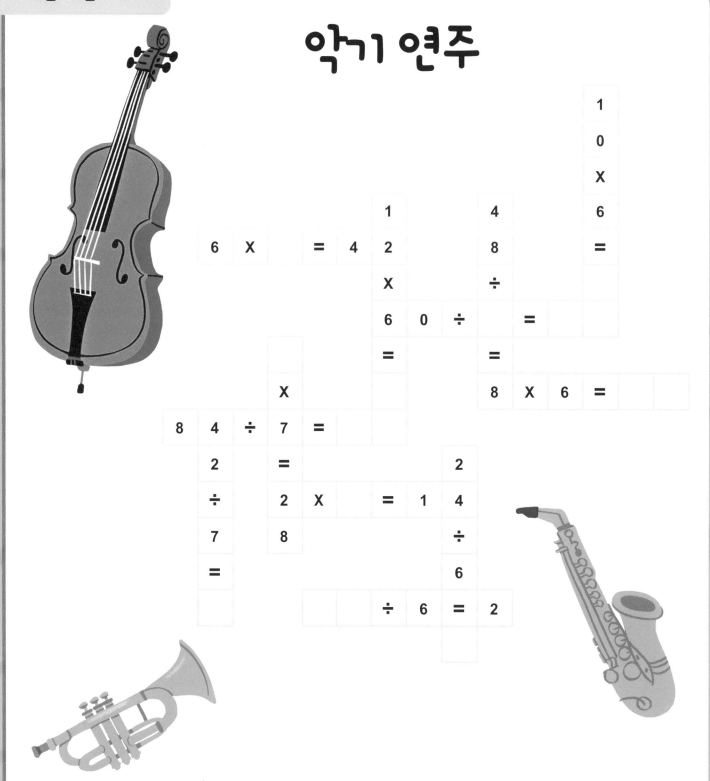

그거 알아? 색소폰은 1846년 벨기에의 아돌프 삭스(Adolphe Sax)가 만들었어.

단서를 찾아라!

범인 찾기

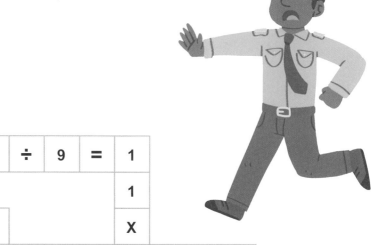

The puzzle grid (□ = empty answer box):

				□	÷	9	=	1						
9									1					
1	X	8	=	□					X					
8							□	÷	8	=	1	2		
=									=					
	□	X	□	=	5	6			□			□		
	□						3	X	□	=				
				□				÷			÷			
									4	X	8	=	□	□
		4	0	÷	□	=	5							=
				9			7							9
				=										
				3										

그거 알아? 2019년에 금화 400만 달러(약 44억 6천만 원)를 훔치기 위해 도둑들이 사용한 건 고작 외바퀴 손수레였어.

이상한 장난감

신나는 하이킹

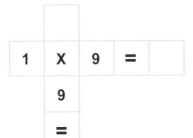

	1	X	9	=			
			9				
			=				
1	6	÷		=	2		8
0					7		÷
X					÷	8	=	6
9							=
=		X		8	÷		
	÷	9	=	1	1	9	
	=		÷		=		
	5	X	9	=			
	4		=				
			X	9	=			

그거 알아? 스위스에서는 해마다 5만여 개의 오솔길 이정표를 점검한대.

심해 탐험

5	4	÷	9	=	

		X		0

		8		÷

	X	9	=	9	9

				=

7		÷

1	2	X	8	=	

÷		=

		1

		÷	9	=	2		2	X	8	=		

8		X

X	

9	=

=	6

3	6	÷		=	4

3

모험 이야기

				X					
5	5	÷	1	1	=				
				1					
				=					
		7	7	÷			=	7	
				7					
	÷	1	2	=	3				
	X		÷		8	4	÷	1	2	=	
	1		1				1	
1	3	2	÷		=	1	1	
	=		=				=	
			5				1	
			÷				2	
			1					
			2					
	X	1	2	=	6	0		
			1					
9	X	1	2	=				

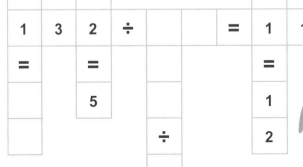

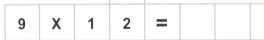

그거 알아? '붉은 수염'이라는 뜻의 바르바로사 형제(The Barbarossa Brothers)는 유명한 해적이었어.

귀여운 아기 새

그거 알아? 아기 새는 부리의 난치(egg tooth)로 알을 깨고 밖으로 나올 수 있어.

화려한 의상

□ □ □ □ ÷ 1 2 = 9   ÷
        2   X   1
1 2 ÷ □ □ = 1   1   1
        ÷   5 X 1 1 = □ □
        1   =   3
1 1 X 1 1 = □ □ □
7 ■ 1 ■ ■ =
X   ÷   □ □ ÷ 1 1 = 9
1 1 X 1 2 = □ □
2   1   X
=   =   1
□   □   2
                =

그거 알아? 바이킹은 아주 뛰어난 뱃사람들로, 약 1천 년 전에 북아메리카 대륙에 도착했대.

축하파티

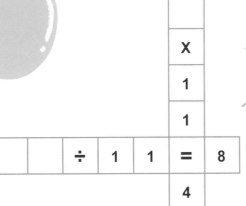

$$X$$
$$1$$
$$1$$
$$\square \;\square \div 1\,1 = 8$$
$$4$$
$$2\,4 \div 1\,2 = \square$$
$$2$$
$$8 \times 1\,2 = \square\,\square$$
$$X \qquad 1$$
$$1 \quad \div$$
$$2 \quad 1\,2\,0 \div 1\,2 = \square\,\square$$
$$= \quad 2 \qquad =$$
$$\square\,\square \div 1\,1 = 4 \qquad \square \times 1\,2 = 1\,2\,0$$
$$X \quad 2 \quad 6$$
$$1 \qquad\qquad \square \div 1\,1 = 2$$
$$2$$
$$=$$

나의 꿈

□ X 3 = 1 8

2

1   X

8   6

□ ÷ 3 = 1 0

□ ÷ 4 = □   2

2   ÷   =

X   8

7   =

=   □ X 7 = 4 9

    6

    5

□ ÷ 6 = 9

그거 알아? 우주 비행사들은 우주선을 조종하는 방법뿐만 아니라 언어와 의학 기술도 배워.

상상 속의 동물

```
3  X  6  =  [ ] [ ]
                X
[ ] [ ]  ÷  4  =  [ ]
                =
        5        3
[ ]  X  1  0  =  7  0
        ÷
[ ] [ ]  ÷  1  1  =  4
        0
   8  8  ÷  1  1  =  [ ]
9     8        0
X     ÷        X
6              5
9  X  9  =  [ ] [ ]        =
           =
           8
```

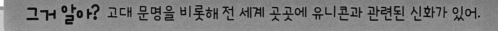

흑과 백

									X	
									3	
									=	
									1	
						X	7	=	2	8
		2	X			■	2			
		5	1		÷	■	÷			
		÷	1	0	8	÷	9	=		
	2	5	=			=	=			
7	X	=	1	4		5			X	
			4						6	
		=				÷	2	=	8	
		8							6	
									0	

그거 알아? 마다가스카르 섬에는 100종이 넘는 여우원숭이가 살고 있대.

맹수들의 파티

												9
								2				X
		8						9	X		=	6	3
		X	8	=	7	2	▩	8					=
						4		=		4		
		=		5	5	÷			=	5		
		6					▩			÷		
4	2			÷		=	6					
	0					3				=		
	÷									5		
	5											
6	X	7	=									

달콤한 간식

									☐			
							5		X			
							4	X	3	=	☐	☐
							÷	▦	=			
									9			
		☐		÷	4	=	4					
			▦	9			9					
		☐	÷	▦	=							
	X	8	X	1	1	=	☐	☐				
	5	9	=		0							
7	X		=	4	2							
	6		5									
	=		4									
	☐											
	☐											

그거 알아? 수박이 자랄 때, 네모난 유리 상자 안에 수박을 넣고 기르면, 네모난 수박을 만들 수 있어.

7 X 5 =

6

÷

X

6 X 6 =

= 8

9

X 4 ÷ X

1 6 ÷ 8 = 6 3 ÷ 7 =

= = =

5 1 ÷ 8 = 2

4 2 ÷ 7 = 0 X

3

=

거대한 다리

고층 건물

									3	X	2	=	□
											X		
											□		
											=		
						7	X	□	=	2	8		
						0							
				□		÷	4	=	8	□			
						7							
						=				÷			
							□	÷	2	=	7		
										=			
										9			
		7											
	5	X	8	=	□							
		=			÷							
□	X	4	=	2	0	7							
		1			=							
					7							

그거 알아? 에펠탑 꼭대기까지 가려면 1,665개의 계단을 올라야 해.

화려한 새들

4	5	÷		=	5
8					X
÷					
3	X	8	=		=
=					2
7			÷		5
X			6		

	1	1	1	X	7	=	
	0	1			4		

| ÷ | 1 | 0 | X | | = | 8 | 0 |

3	1				
0	=		=		
	÷	9	=	9	5
					0
=					
6					

바닷속 이야기

					1							
					0							
					7			3				
	8		1	2	=	9		6				
	8				7							
					0			6				
	1							=		9		
8		8	1		9	=	9	6				
		=								5		
2	4		8	=	3			6		=		
	=							=		4		
	1						5		7	=	3	5
1	6		4	=	4			4				

그거 알아? 진주는 굴 껍데기 안에서 가끔 발견되곤 해.

좋은 꿈을 꿔요

그거 알아? 달은 해마다 지구로부터 3.8센티미터씩 멀어지고 있대.

영리한 토끼

그거 알아? 토끼는 적에게 쫓길 때, 지그재그로 달려서 적을 혼란시켜.

으스스한 밤

아기 동물들

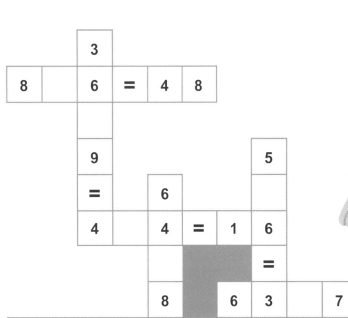

```
        3
8     6  =  4  8

        9           5
        =     6
        4     4  =  1  6
              ▨     =        9
              8  ▨  6  3     7  =  9
1  6     4  =  4        0
        8                    9        1
                 1  8     3  =  6      2
                                      1
                 6     1  2  =  7  2
                                 =
                 1  1     8  =  8  8
                                      4
```

그거 알아? 갓 태어난 새끼 판다는 어미 판다보다 약 900배나 더 작아.

부엌에서

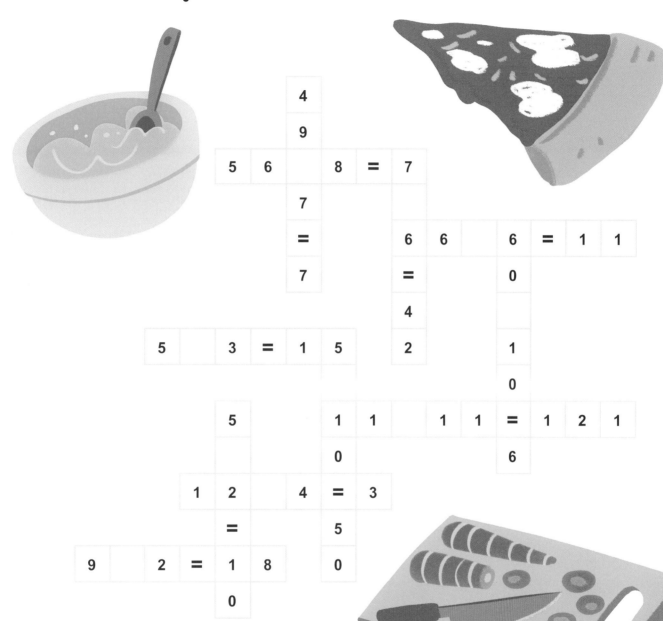

```
                4
                9
5   6       8   =   7
                7
                =       6   6       6   =   1   1
                7       =           0
                        4
5       3   =   1   5   2           1
                                    0
        5           1   1       1   1   =   1   2   1
                    0           6
    1   2       4   =   3
            =           5
9       2   =   1   8   0
            0
```

모두 주황색이야

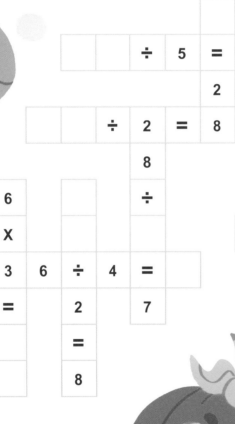

7	X		=	1	4				
					X				
		÷	5	=	1	1			
				2	1		5		
	÷	2	=	8	X		X		8
			8		6				X
6		÷			=				1
X				÷	6	=	1	1	
3	6	÷	4	=			5		=
=		2	7				0		
		=							
		8							

그거 알아? 흰동가리는 식물과 동물 모두를 먹는대.

화사한 노랑

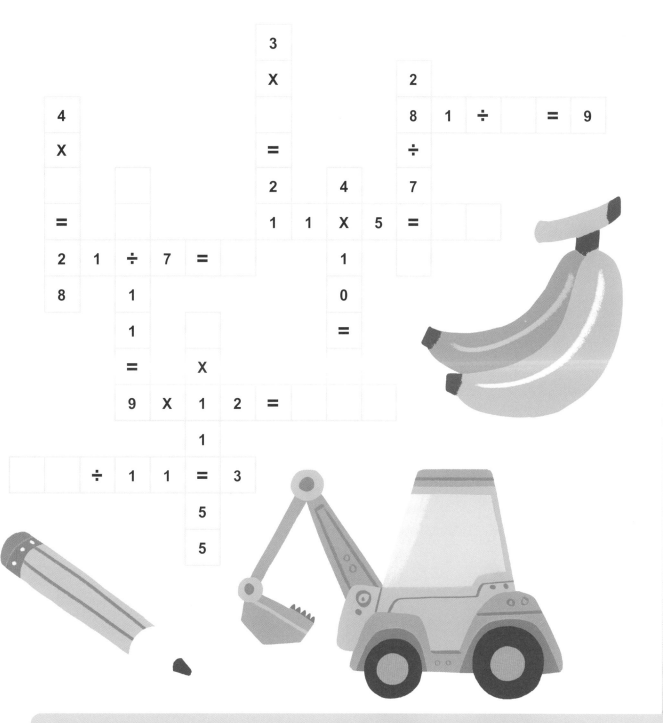

뽀족뽀족 가시

		÷	6	=	3
					×
					8
	9				=
	2	×	1	0	=

÷	
1	1	×	2	=	
2		9
=		0

3	5	÷		=	5
×			4
6		4	8	÷		=	8
=		9
		×		=
			÷	9	=	7
		=
		5
		4

그거 알아? 선인장은 1,500여 종이 있는데, 어떤 것은 300년이나 살기도 한대.

식물을 길러요

	7									
	2	7	÷		=	3				
	÷									
4	8	÷		=	6		X			
	=			X	3	2	÷		=	4
				4	=					
				=	2					
		X	1	1	=					
					X					
	7	X				=	7	7		
		X	6	=	2	4				
				2						
				0						

빙글빙글

$15 \div \square = 5$

$\square \times 4 = 44$

$108 \div \square = 9$

$\square \times 5 = 25$

$28 \div 7 = \square$

$11 \times 10 = \square\square$

$3 \times 5 = \square\square$

(세로)
X
=
X
0
X
1
=
1
5
÷
1
1
7
1
1
÷
=

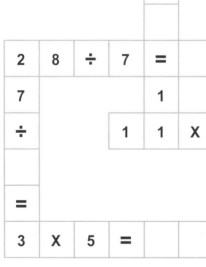

그거 알아? 달팽이 점액은 화장품이나 의약품의 원료로 쓰인대.

거대한 곰

			3	6	÷		=	1	2			
								0				
					1		6	X	4	=		
					6							
			8	0	÷		=	8				7
								2				X
					=		5	0	÷	5	=	
	X	4	=	2	8							
				4					6			=
				÷			9	X		=	8	1
				8								4
				=					=			
				6								

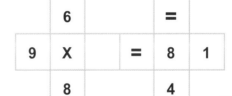

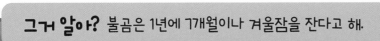

얼마나 멀리 던질 수 있어?

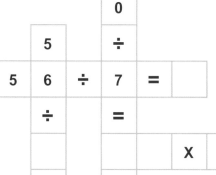

			7			1									
9			X	7	=	1									
X						X									
8	÷	7	=												
=			2			=									
			1			8									
						8		÷	7	=					
						0									
							5	÷							
			5	6				÷	7	=					
							÷		=						
											X	3	=		3
							=							6	
							7							÷	
														=	
												X	7	=	3

그거 알아? 창던지기는 고대 올림픽 경기 종목 중 하나였어.

초록빛 생물

3

$3 \times 5 =$ ▢▢

6

$=$

---

5 | $8\ 8 \div$ ▢▢ $=$ ▢

$\times$ | 8

8 | $9\ 6 \div 8 =$ ▢

▢▢ $\div 6 = 7$

▢ $\times 1\ 1 =$ ▢▢

8

▢ | $\div$

$\times$ | 3

$4\ 5 \div$ ▢ $= 9$

$=$ | 4

$7 \times$ ▢ $=$ ▢ $\ 1$

6

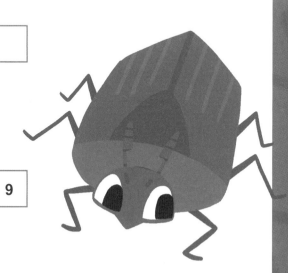

그거 알아? 노린재는 악취를 내뿜는 벌레로 알려져 있어.

역사 수업

그거 알아? 고대 로마인이 입던 토가는 혼자서는 입기 어려워서, 입으려면 다른 사람들의 도움이 필요했대.

뛰어난 기술

				3			
				X			
7	X			=	7	7	

9			÷	1	2	=	7
X							
=					3		
			1		0		

5	1				7
X	7	=	7	7	X
	4		÷	3	=	8

÷	2	=	6		÷			=
	1		1					
	5		2					

3	X	5	=	

그거 알아? 로봇 강아지는 짖고, 재주를 부리고, 주인을 알아볼 수 있어.

똑똑한 기계

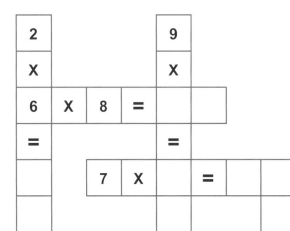

2			9		
X			X		
6	X	8	=		
=			=		
	7	X		=	

				X					1
						4			5
						X			÷
7	7	÷		=	1	1	2	8	÷ 7 =	5
					1		=		
					=				
		÷	1	1	=				
				1					
	÷			0					
	3								
5	4	÷	9	=					
	8								

그거 알아? 컴퓨터는 0과 1로 어떤 수든지 셀 수 있대.

훨훨 날아 봐!

$9 \times 7 = \square\ \square$

2

4 $\times$

$\square\ \square \div 7 = 9$ 9

$\div$ 6 ■

$1\ 1 \times \square = \square$

0

$=$

$8 \times \square = 4\ 8$

$\times$

$\times 4 = 1\ 6$

$\times$ 8 $=$

8 $\div 3 = 8$

$=$

$3\ 2 \div 8 = \square$

4

근사한 뿔

$\square$ X $\square$ = 1 2

÷

6 X 2 = $\square$ $\square$

= 4

7   5 4 ÷ 6 = $\square$

3 X 7 = $\square$

7 2

÷

4 X 6 = $\square$ $\square$

8 X 9 = $\square$ 5

= 8

=

$\square$ ÷ $\square$ =

÷

8

=

8

그거 알아? 사슴이나 무스의 뿔은 겨울이 되면 부러졌다가, 봄이 되면 다시 자라난대.

정답

4쪽

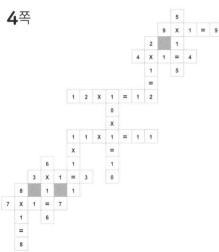

```
              5
          9 X 1 = 9
          2     1
      4 X 1 = 4
          1     5
          =
  1 2 X 1 = 1 2
                0
                X
  1 1 X 1 = 1 1
      X         =
      6         1
  3 X 1 = 3     1
  8     1   1
  7 X 1 = 7
  1     6
  =
  8
```

5쪽

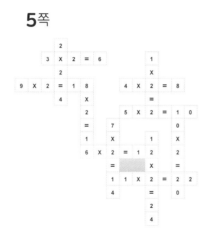

```
  2
3 X 2 = 6             1
  2                   X
9 X 2 = 1 8      4 X 2 = 8
  4     X            =
        2      5 X 2 = 1 0
        =   7        0
  1     X        1   X
  6 X 2 = 1 2        2
  =           X      =
  1 1 X 2 = 2 2
  4         =   0
  2
  4
```

6쪽

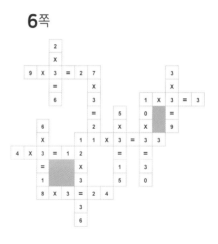

```
        2
        X
9 X 3 = 2 7               3
  =     X                 X
  6     3          1 X 3 = 3
  =     3      5   0     =
  6     2      X   X     9
  X     1 1 X 3 = 3 3
4 X 3 = 1 2        =     =
  =     X          1     3
  1     3      5   0
  8 X 3 = 2 4
        3
        6
```

7쪽

```
  8
  X
  4
  =
3 X 4 = 1 2
  2       1
        1 X
        2 4
1 0 X 4 = 4 0
        4
  5       4 X 4 = 1 6
  X           X
7 X 4 = 2 8   4
  =       1 X 4 = 4
  2       4
  0       2
        9 X 4 = 3 6
```

8쪽

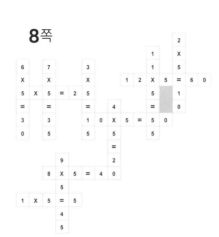

```
                        2
              1         1
6   7     3   1         5
X   X     X   1 2 X 5 = 6 0
5 X 5 = 2 5   5     1
=   =     =   4   =     0
3   3     1 0 X 5 = 5 0
0   5     5   5     5
                  =
              2
  9
8 X 5 = 4 0
  5
1 X 5 = 5
  4
  5
```

9쪽

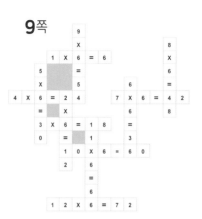

```
  9                       8
1 X 6 = 6               X
5                       6
X     5        6        =
4 X 6 = 2 4   7 X 6 = 4 2
=     X                 8
3 X 6 = 1 8        =
0   =     1        3
          1 0 X 6 = 6 0
      2   6
          =
          6
      1 2 X 6 = 7 2
```

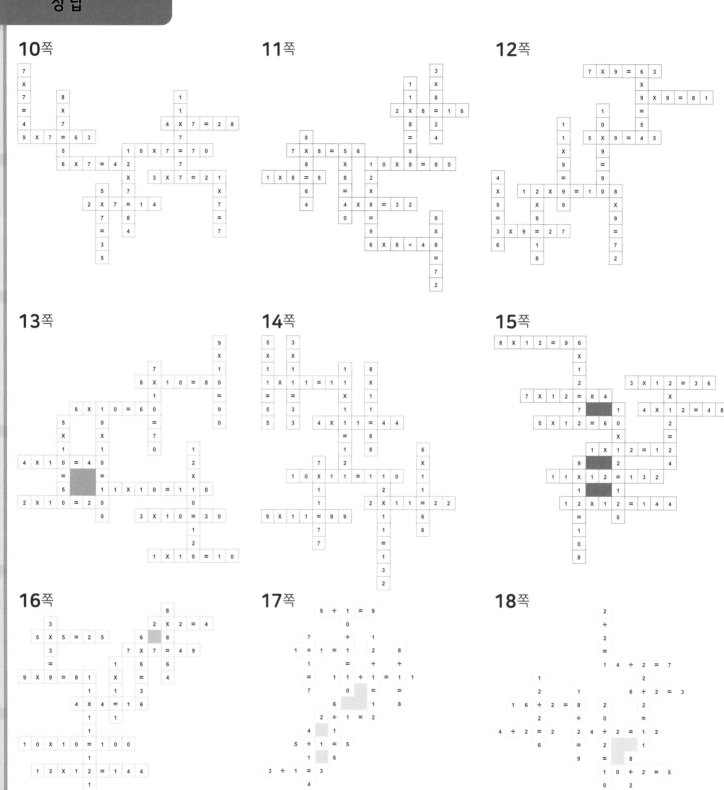

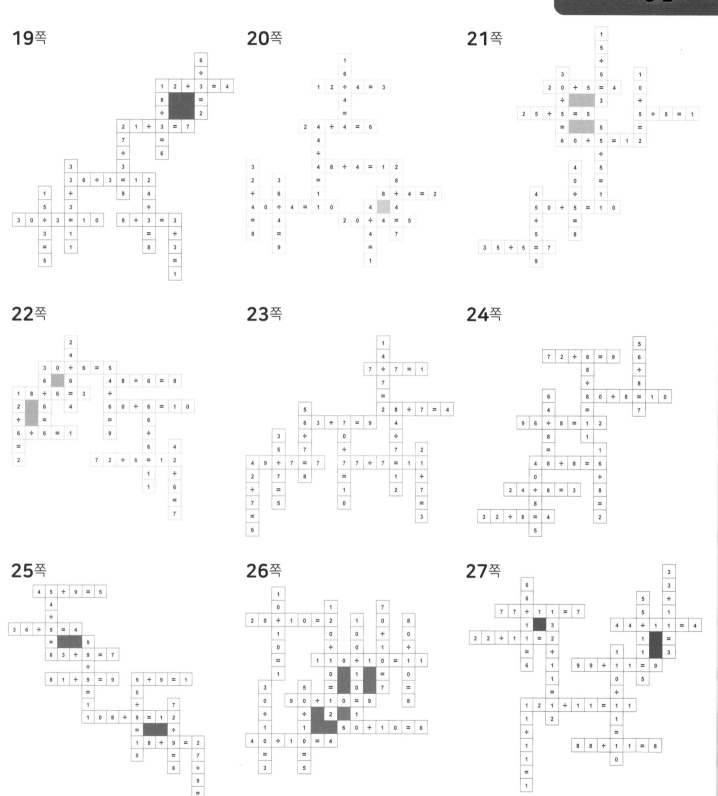

19쪽
20쪽
21쪽
22쪽
23쪽
24쪽
25쪽
26쪽
27쪽

정 답

28쪽

29쪽

30쪽

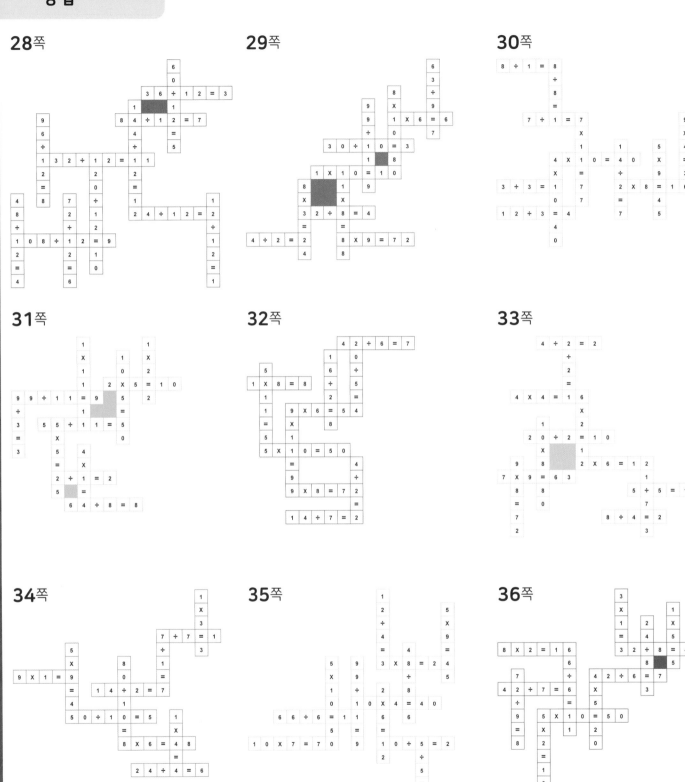

31쪽

32쪽

33쪽

34쪽

35쪽

36쪽

37쪽

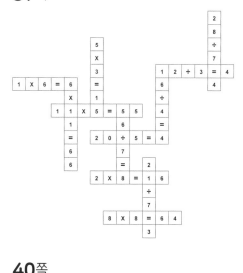

38쪽

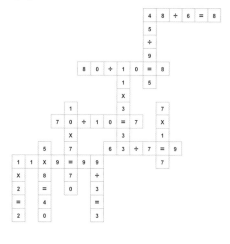

39쪽

40쪽

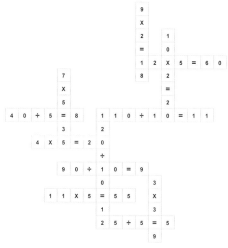

41쪽

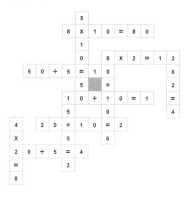

42쪽

43쪽

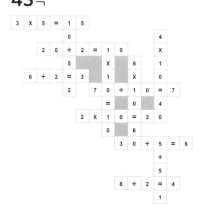

44쪽

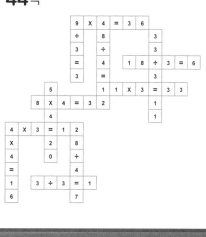

45쪽

정 답

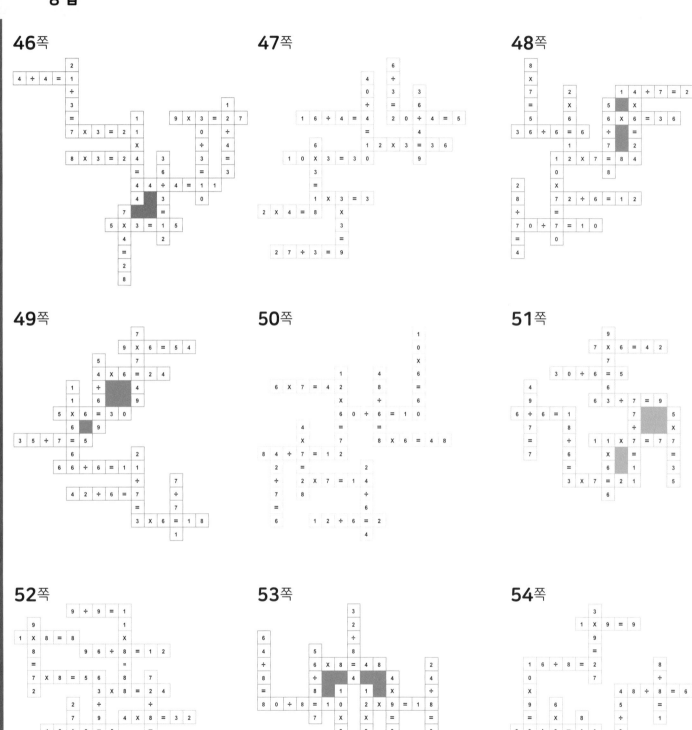

46쪽

47쪽

48쪽

49쪽

50쪽

51쪽

52쪽

53쪽

54쪽

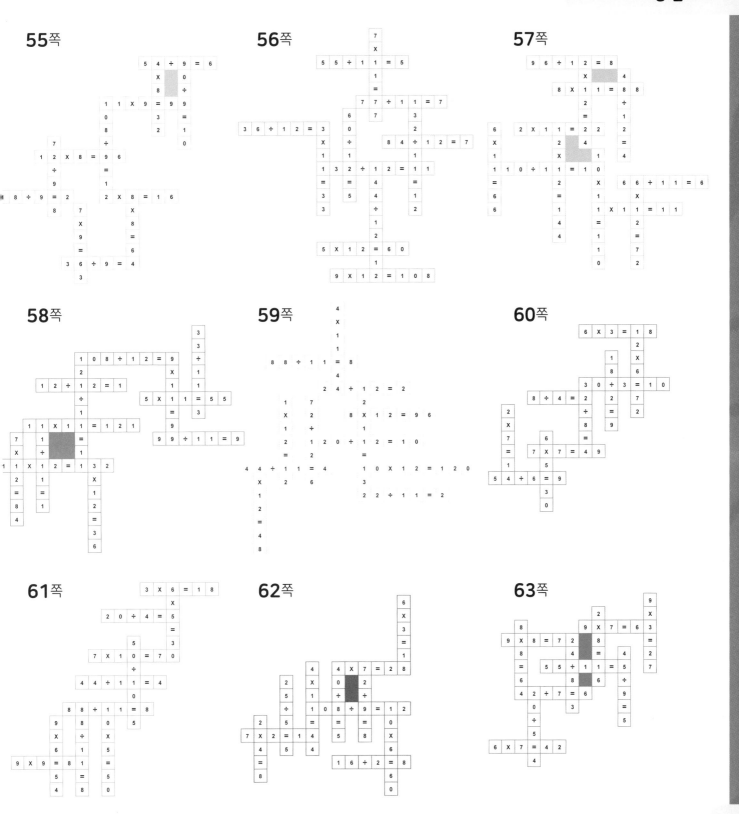

64쪽

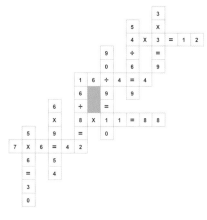

65쪽

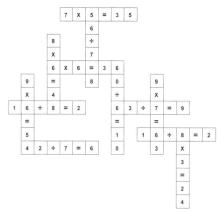

66쪽

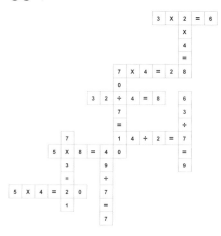

67쪽

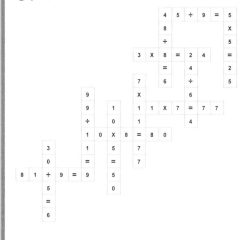

68쪽

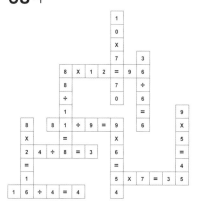

69쪽

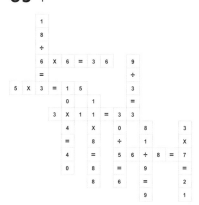

70쪽

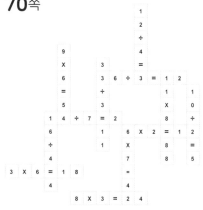

71쪽

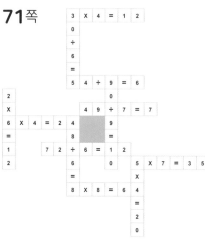

72쪽

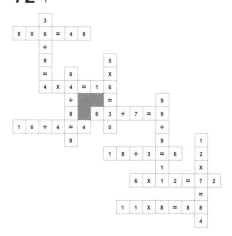

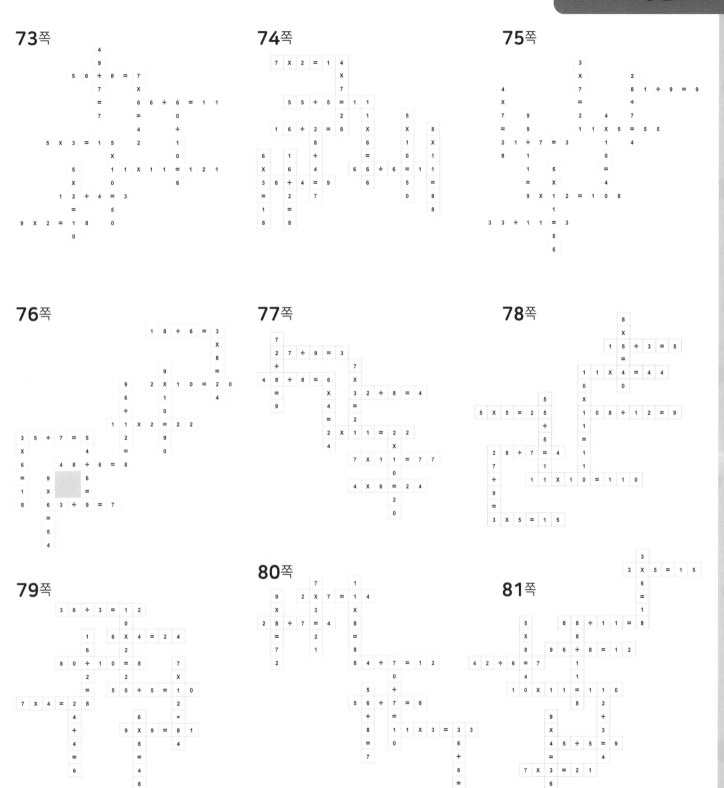

정 답

82쪽

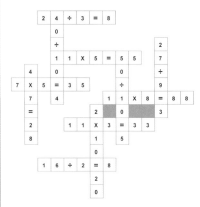

```
2 4 ÷ 3 = 8
0
÷                       2
1 1 X 5 = 5 5           7
4     0                 ÷
7 X 5 = 3 5             9
7     4       1 1 X 8 = 8 8
=             2 [ ] 0 [ ] 3
2             1 1 X 3 = 3 3
8             1
              0
      1 6 ÷ 2 = 8
              2
              0
```

83쪽

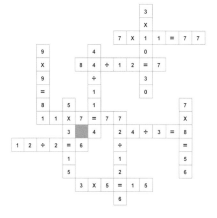

```
                  3
                  X
          7 X 1 1 = 7 7
                  0
9       4
X       8 4 ÷ 1 2 = 7
9       ÷         3
=       1         0
8   5   1
1 1 X 7 = 7 7                 7
    3 [ ] 4   2 4 ÷ 3 = 8     X
1 2 ÷ 2 = 6       ÷           =
              1               5
              5               6
          3 X 5 = 1 5
                  6
```

84쪽

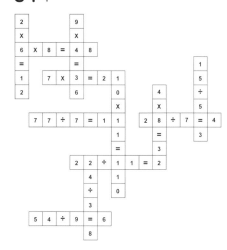

```
2           9
X           X
6 X 8 = 4 8
=           =
1       7 X 3 = 2 1           1
2           6   0             5
                X             ÷
7 7 ÷ 7 = 1 1   2 8 ÷ 7 = 4   5
                1             3
        2 2 ÷ 1 1 = 2
            4   1
            ÷   0
            3
        5 4 ÷ 9 = 6
            8
```

85쪽

```
                  9 X 7 = 6 3
              2
8             4   X
0         6 3 ÷ 7 = 9
÷             6 [ ] 8
1 1 X 1 0 = 1 1 0
0             4
=
          8 X 6 = 4 8
3
X             4 X 4 = 1 6
8             =
=         2 4 ÷ 3 = 8
3 2 ÷ 8 = 4
4
```

86쪽

```
3 X 4 = 1 2
    2
    ÷
    6 X 2 = 1 2
    =       4
    7   5 4 ÷ 6 = 9
            2
    3 X 7 = 2 1
        7   2         5
            ÷     4 X 6 = 2 4
    8 X 9 = 7 2   8
            =     =
        1 6 ÷ 4 = 4
            ÷     0
            8
            =
            8
```

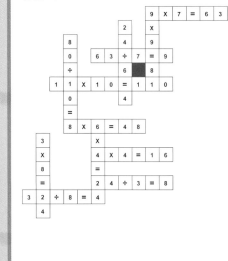